PREMIER AMOUR

À Marion
A. C.

NOUS SOMMES TOUS DIFFÉRENTS, DONC TOUS EXCEPTIONNELS.

PROVERBE ARAMÉEN

Qu'as-tu pensé de cette aventure des Kinra Girls ?
Donne ton avis sur http://enquetes.playbac.fr
en saisissant le code 648669
et gagne un livre de la même collection
(si tu fais partie des 20 premières réponses).

Éditions Play Bac, 33, rue du Petit-Musc, 75004 Paris ; www.playbac.fr

PREMIER AMOUR

MOKA

ILLUSTRATIONS
ANNE CRESCI

ÉDITIONS

IDALINA

KUMIKO

Kumiko est japonaise. C'est une peintre talentueuse, qui aime aussi la photo et la mode.

Idalina est espagnole. Elle joue de la guitare et c'est une superbe chanteuse de flamenco.

Naïma est afro-américaine. Son père est américain et sa mère vient d'Afrique. Le cirque est sa passion.

Rajani est indienne. Elle adore danser, surtout les danses traditionnelles de son pays.

Alexa est australienne. Elle monte à cheval et souhaite devenir championne d'équitation.

RUBY
ennemie
des Kinra Girls

MICHELLE
ennemie
des Kinra Girls

JENNIFER
ennemie
des Kinra Girls

LOUISE
amie
des Kinra Girls

JOHANNIS
ami
des Kinra Girls

MICKAEL
ami
des Kinra Girls

JOHN
ami
des Kinra Girls

TONINO
amoureux
d'Idalina

M. MEYER
le directeur

MISS DAISY
l'assistante
du directeur

MME BECKETT
le professeur
d'anglais

**SIGNORA
DELLA TORRE**
le professeur
de chant

MME JENSEN
le professeur
de danse

MAÎTRE WANG
le professeur de dessin

EMMA
l'infirmière

M. RAMOS
le professeur de guitare

RAINER
le professeur
d'équitation

M. TREMBLAY
le professeur
des arts du cirque

LUIGI
le chef cuisinier

M. BROWN
le professeur
de mathématiques

MME GANZ
le professeur
d'art dramatique

Chapitre 1
Tombe, tombe la neige...

Alexa ouvrit le rideau de la fenêtre et poussa une exclamation. Elle se retourna vers Michelle, sa colocataire, qui dormait toujours.

— Il neige ! hurla-t-elle. Il neige ! Hourra ! Réveillée en sursaut, Michelle se redressa dans son lit.

— Ça ne va pas, non ? Je dormais, moi !

— T'es sourde ? Il neige !

— Espèce de folle... grommela Michelle en se recouchant.

Alexa se jeta sur son placard pour y prendre des vêtements. Elle était tellement impatiente de sortir qu'elle finit d'enfiler ses santiags dans le couloir. Elle frappa d'abord à la porte de la chambre 306 puis à celle de la chambre 325.

— Debout là-dedans ! Idalina, Naïma !

Rajani, Kumiko ! Dépêchez-vous !

Alexa n'attendit pas ses amies et se précipita dans l'escalier. Son professeur d'anglais, qui avait l'habitude de se lever tôt même le samedi, l'interpella dans le hall.

— Miss Clark ! On ne court pas dans l'établissement !

— Mme Beckett, il neige ! Je n'ai jamais vu la neige en vrai !

Elle repartit au pas de course. Mme Beckett sourit en la regardant sauter les marches du perron. Alexa étendit les bras et se mit à tournoyer sur place. Le jour n'était encore qu'une lueur blafarde au-dessus de l'horizon.

Il y avait quelque chose de magique dans ces légers flocons blancs qui se détachaient sur le ciel sombre. Alexa ouvrit la bouche en grand et essaya d'attraper l'un d'eux avec le bout de sa langue. Quand elle y parvint, elle s'émerveilla de l'étonnante douceur du flocon. Et pfuitt ! En un rien de temps, il ne resta sur sa langue qu'une sensation de fraîcheur.

— Plutôt décevant, dit une voix derrière elle.

— Tu plaisantes ? répondit Alexa en découvrant Kumiko.

— C'est juste de la pluie un peu gelée. D'ailleurs, ça va s'arrêter…

— T'as déjà vu de la neige, toi ? s'étonna Alexa. Il ne fait pas trop chaud à Kyoto ?

— Si, évidemment. Mais je suis allée dans le nord du Japon plusieurs fois, dans la région d'Akita. Il y fait très froid en hiver. C'est vraiment génial là-bas parce qu'on y construit des *kamakura*…

— Des quoi ? demanda Idalina qui arrivait en compagnie de Naïma et de Rajani.

Kumiko expliqua qu'un *kamakura* était un igloo à la mode japonaise. Pour en fabriquer un, il faut d'abord tasser un gros monticule de neige. Ensuite, on creuse l'entrée et on vide l'intérieur.

— C'est très différent des igloos des Inuits. Un *kamakura* n'est pas une habitation, c'est une construction qui sert à vénérer le dieu de l'Eau. On y place un autel et on prie le dieu pour avoir de bonnes récoltes.

C'est aussi une occasion pour faire la fête ! Dans les *kamakura*, on installe des couvertures sur le sol, des coussins et on allume des bougies pour éclairer. Dans chaque igloo, on place un petit poêle à charbon sur lequel on cuit des *mochi*, des gâteaux de riz. À tous les visiteurs qui se présentent, on offre des *mochi* et de l'*amazake*, une boisson à base de riz fermenté, sucrée et généralement sans alcool.

— Il y a des dizaines d'igloos, dit Kumiko, et on se promène de l'un à l'autre. Certains sont si grands que quinze ou vingt personnes peuvent tenir dedans ! J'adore cette fête !

– T'as de la chance, remarqua Alexa.
J'aimerais bien y aller, moi aussi… Bon !
Toi, Idalina, tu ne vas pas me faire croire
qu'il neige à Séville ?

– Ben non. Mais tout près de Grenade,
il y a la sierra Nevada où on peut faire
du ski. La sierra Nevada est la chaîne de
montagnes la plus haute d'Europe après
les Alpes ! Je faisais de la luge là-bas
quand j'étais petite.

– La neige, à New York, on connaît !
dit Naïma. Parfois, la ville est
complètement bloquée par une
tempête. C'est chouette parce qu'on
ne va pas à l'école, ces jours-là.

Alexa se tourna vers Rajani.

– Je suis sûre que chez toi, à Mumbai,
il ne neige pas !

– Ça ne risque pas. En décembre, il peut
faire 30° ! Mais avec ma grand-mère,

je suis allée dans l'Himalaya pour
rencontrer les...

– L'Himalaya, manquait plus que ça !
la coupa Alexa en riant. Vous m'énervez,
toutes les quatre ! Je me sens bête
maintenant à m'extasier devant quelques
malheureux flocons ! En Australie,
quand il tombe quelque chose du ciel,
c'est ou de la pluie ou des crevettes !

– Des crevettes ? répéta Idalina,
stupéfaite.

– Oui ! Il pleut même des poissons
encore vivants ! T'imagines ? Tu sors
pour faire des courses et tu te prends
des poissons sur la tête !

– Tu te moques de nous ? protesta Naïma.
Ça n'existe pas, une chose pareille !

– Je vous jure que c'est la vérité ! affirma
Alexa. On pense que c'est peut-être
à cause des tornades. Elles aspirent

l'eau, sluuurrp ! Et elles recrachent des poissons, des crevettes, des grenouilles. Très, très loin ! Il y a une ville en plein désert où c'est arrivé plusieurs fois. C'est une histoire célèbre en Australie. C'est drôle, non ?

— Et les crocodiles ? demanda malicieusement Kumiko. Ils s'envolent avec les tornades, eux aussi ?

— Uniquement ceux qui ont des ailes, répondit Alexa d'un air faussement sérieux.

La neige, déjà, ne tombait plus. Le ciel s'éclaircissait au-dessus de la forêt, annonçant une journée plus agréable que prévu. Idalina était désolée de quitter ses amies, mais elle avait son cours de guitare. Naïma attendit que son amie ait disparu.

— Hé, les filles ! fit-elle. Lundi, c'est l'anniversaire d'Idalina !

Elle va avoir 11 ans, comme nous !

— Oh ! se désola Rajani. Tu aurais dû nous le dire plus tôt ! Nous n'avons pas de cadeau pour elle !

— Et si je prenais Esperanza et ses chatons en photo ? proposa Kumiko. Je l'imprimerai dans la salle multimédia. Je fabriquerai un joli cadre sur lequel on pourra toutes mettre un mot !

— C'est une très bonne idée, approuva Naïma.

— On devrait demander au chef Luigi si on peut préparer un gâteau pour Idalina, proposa Alexa. Je pourrais envoyer un e-mail à maman pour qu'elle me donne la recette de la pavlova.

— Pavlova ? répéta Rajani. Il me semble que c'est le nom d'une célèbre danseuse russe.

Alexa acquiesça. C'était bien le nom de la ballerine que portait ce gâteau australien.

– C'est de la meringue avec de la crème fouettée dessus. Maman ajoute toujours des fraises et des kiwis. C'est trop bon !

– Je te rappelle que tu as mis le feu à la cuisine[1], dit Naïma. Ça m'étonnerait que Luigi te laisse y remettre les pieds !

– Tu crois que le chef est fâché contre moi ? s'inquiéta Alexa.

– Non, mais il n'est pas fou ! rit Naïma.

Kumiko remonta dans sa chambre pour y prendre son appareil photo. Puis les quatre filles partirent vers les écuries où on avait installé la chatte Esperanza et ses bébés. Le cheval Nelson frappa du pied quand elles entrèrent, avant de se réfugier dans un coin de son box. Pour le calmer, Alexa souffla doucement et murmura des mots rassurants.

– N'aie pas peur, mon frère…
Ce n'est que nous…

1. *Voir le tome 6 des Kinra Girls,* La Clé d'or.

– Il est toujours aussi sauvage, constata Rajani. Pauvre Nelson ! Quand je pense que son ancien propriétaire le battait... Je déteste les gens qui sont cruels avec les animaux.

– Moi, je le trouve moins agité qu'avant, remarqua Naïma. J'ai l'impression qu'il s'est habitué à nous voir passer.

Kumiko, qui marchait en tête, poussa une exclamation de surprise.

– Eh ! Attendez ! Il y a Esperanza, Rani et Tama. Où est cette crapule de Shango ?

Naïma s'aperçut que Rajani s'était figée sur place. Elle suivit le regard de son amie...

– Oh, non ! gémit Naïma. Shango est dans le box de Nelson !

Le chaton, inconscient du danger, s'amusait en mordillant les brins de paille. Rajani reprit ses esprits et appela Shango d'une voix tremblante. Le chaton ne s'intéressait pas du tout à elle.

– Alexa, fais quelque chose ! supplia Kumiko.

– Comme quoi ? Je ne peux pas m'approcher de Nelson, moi non plus !

Shango jouait en sautant d'un bout à l'autre du box. Soudain, Nelson tourna la tête vers lui. Il avança le museau jusqu'à toucher le dos de Shango. Persuadée qu'il allait le mordre, Rajani se couvrit les yeux. Shango fit un bond sur place. Il aurait dû se sauver. Mais non ! Shango s'assit face à Nelson.

– Attendez… murmura Alexa. Ben ça… Nelson soufflait doucement sur Shango qui avait l'air d'apprécier.

Le chaton posa même sa petite patte
sur le museau du cheval. Puis, gaiement,
il recommença à sauter tout autour de
Nelson. Lequel ne bougea pas d'un pouce
quand Shango passa entre ses jambes.
Finalement, Shango se faufila sous
la porte du box. Naïma le récupéra
et le serra contre elle.

    – Espèce de voyou ! soupira-t-elle.
Tu nous as fait une de ces peurs !
Shango lui lécha les doigts et se mit
à ronronner.

    – J'en reviens pas ! dit Alexa. Shango
a réussi là où tout le monde a échoué !
Il est devenu l'ami de Nelson !
En guise de réponse, le cheval secoua
sa crinière et lui montra les dents.
On aurait pu croire qu'il riait !

Chapitre 2

Quand elle passe, le monde entier se remplit de grâce...

Idalina sortit de son cours de guitare en chantonnant. Son professeur, M. Ramos, avait le don de la mettre de bonne humeur. Il était toujours gai et n'oubliait jamais de dire quelques mots d'encouragement. Un vrai bonheur de professeur !

Le samedi, les couloirs à cet étage étaient déserts. La plupart des élèves préféraient rester au lit ! Idalina, quant à elle, avait choisi de suivre un cours supplémentaire. Parfois, c'était un peu embêtant car elle ne pouvait pas être avec ses amies. Idalina dressa l'oreille. Elle entendait de la musique… une musique qui donnait envie de danser. Poussée par la curiosité, elle avança jusqu'à une salle dont la porte était ouverte.

Un garçon jouait de la guitare, avec
un talent digne d'un grand interprète.
Et quand il commença à chanter, Idalina
sentit un grand frisson lui parcourir le dos.
De peur de l'interrompre, elle se cacha
derrière le mur. Elle ferma les yeux et
écouta. Elle fut très surprise quand
le garçon s'arrêta de jouer pour dire :

– Hello ! Tu peux entrer, tu sais !
Timidement, Idalina pointa le bout de son nez.

– C'est que je ne voulais pas te déranger...

– Une jolie fille ne me dérange jamais !
répondit-il en riant.
Les joues d'Idalina se colorèrent de rose.

– Mon nom, c'est Antonio, mais mes
amis m'appellent Samba ou Tonino.
C'est une habitude dans mon pays :
au Brésil, tout le monde a au moins
un surnom ! Je vois que tu es guitariste,
toi aussi.

– Ce n'est pas ma spécialité. Je suis chanteuse. Ça ne m'empêche pas d'aimer jouer de la guitare !

– Eh bien, moi, c'est le contraire ! Je suis guitariste et j'adore chanter !

– Tu es très doué, le complimenta Idalina. Et ta chanson était très belle, aussi.

– C'est la chanson brésilienne la plus célèbre dans le monde ! *A Garota de Ipanema*[2]. Ça signifie « la fille d'Ipanema ». Elle est très souvent chantée en anglais. C'est de la bossa-nova, une musique inventée au Brésil. Tu connais ?

Idalina fit non de la tête.

– La bossa-nova, c'est un genre de samba, en plus raffiné… Il y a un côté un peu jazz dedans.

---

2. A Garota de Ipanema *(en portugais du Brésil) : la fille d'Ipanema. Cette chanson* (The Girl from Ipanema, *en anglais), écrite en 1962, est probablement la plus connue de la bossa-nova. Elle a été chantée ou jouée plus de treize millions de fois par des interprètes ou des orchestres de tous les pays.*

— Ah, la samba, je connais ! s'exclama
Idalina. C'est la musique du carnaval
de Rio !

— C'est ça, acquiesça Tonino. La samba
est née du chant des esclaves noirs qui
avaient été libérés et qui cherchaient
du travail dans le port de Rio. C'est un
chant de liberté !

— Tu voudrais bien m'apprendre
les paroles de *La Fille d'Ipanema ?*
demanda Idalina en s'approchant.

— En quelle langue ?

— La tienne, bien sûr ! J'ai une passion
pour les langues étrangères. Le brésilien
n'est pas très différent du portugais,
il me semble. Je ne sais pas vraiment
parler portugais, mais je le comprends
assez bien. Je suis espagnole. Oh pardon !
Je ne me suis même pas présentée !
Je m'appelle Idalina.

— Je parie que tu danses le flamenco !
Ça se voit à ta façon de marcher. Tu me
fais penser à la fille d'Ipanema ! C'est ce
que raconte la chanson. La fille passe
dans la rue en allant à la plage d'Ipanema.
Elle est si belle que tous les garçons
la regardent. Et alors ils disent…

Tonino cala sa guitare sur ses genoux et
chanta. Les yeux brillants, Idalina écoutait
cette voix qui l'emmenait soudain ailleurs.

— *Ah ! se ela soubesse que quando ela passa*
o mundo inteirinho se enche de graça…

Tonino joua les derniers accords.

— *Ah ! si elle savait que quand elle passe*
le monde entier se remplit de grâce… dit–il.
C'est exactement ce que j'ai ressenti
la première fois que je t'ai vue.
Tu te promenais avec tes copines
et le chien du directeur.

Idalina devint écarlate. Elle ne savait pas

quoi répondre. Comme s'il ne s'apercevait pas de son trouble, Tonino rangea sa guitare dans son étui.

– Il y a longtemps que je voulais te rencontrer, poursuivit-il. Mais on n'est pas dans la même classe et on est tellement pris par les cours !

– Me... me rencontrer ? bégaya Idalina.

– Moi, je suis un vrai **Carioca** ! s'écria Tonino. C'est le nom que portent les habitants de Rio. Les **Cariocas** ont le soleil dans le cœur qui leur donne la joie de vivre ! C'est facile, dans ma ville, de se faire des amis. On ne se pose pas de questions du genre : « De quoi je vais avoir l'air si j'adresse la parole à cette jolie inconnue sur la plage ? » On dit : « *Oi, tudo bem ?* » « Salut, ça va ? » Et si elle sourit, on va manger une glace. Est-ce que ce n'est pas mieux que de rester tout seul dans son coin ?

– Heu, si… je suppose.

Tonino se leva de sa chaise.

– Les gens sont trop compliqués, ajouta-t-il. Ça les empêche d'être heureux. Tu viens ?

– Où ça ? demanda Idalina.

– C'est l'heure du déjeuner, non ? On pourra discuter tranquillement.

– Ah oui… Ah non. Je dois retrouver les Kin… mes copines.

Tonino haussa les épaules.

– Tu es tout le temps avec elles !
protesta-t-il. T'as le droit d'avoir
d'autres amis, non ?

– Ben oui, si, bien sûr… C'est juste qu'on
devait… enfin… il faut que je les prévienne.

– Je t'apprendrai les paroles de la
chanson entre les carottes râpées
et la crème caramel.

Idalina eut un petit rire. Tonino lui prit
le bras d'une manière si naturelle qu'elle

le laissa la conduire jusqu'au réfectoire.
Naïma agita la main quand elle aperçut
Idalina. À sa grande surprise, celle-ci alla
s'asseoir à une autre table.

— Eh ben ? fit Alexa. Elle nous a pas vues
ou quoi ?

— Qui c'est, ce garçon ? demanda Kumiko.

— Sans doute un élève de M. Ramos,
remarqua Rajani. Il a une guitare.

— Ah oui ! Tu as raison, dit Kumiko.
Ils ont peut-être quelque chose
à préparer ensemble pour leur
prochain cours.

— Ça doit être ça... dit Naïma.

Idalina était passionnée par le discours de
Tonino. Il était si intéressant quand il parlait
du Brésil ! Tonino lui racontait sa vie à Rio
de Janeiro. Sa sœur aînée appartenait à
l'une des douze grandes écoles de samba.
Elle répétait pendant des mois avec les

autres danseuses afin d'être prête pour le défilé du carnaval. L'année passée, elle avait eu l'honneur de danser sur l'un des chars multicolores, en tête du cortège.

— Elle était magnifique ! s'exclama Tonino. Elle était habillée de strass et de plumes. Sa coiffure était incroyable, elle ressemblait à un oiseau de feu !

— Quelle chance tu as ! Ce que j'aimerais aller au carnaval de Rio ! Chez moi, à Séville, on a le sens de la fête aussi. Pendant la feria, on danse, on chante et on mange encore plus !

— Nous avons beaucoup de choses en commun.

— Tu crois ? fit Idalina en rougissant.

— C'est évident ! Nous avons la musique et...

Tonino s'interrompit car Alexa s'était déplacée jusqu'à leur table.

— Hello ! dit-elle. Désolée de vous

déranger mais on t'attend, Idalina !

– Pas de problème, répondit Tonino
avec un sourire un peu forcé.

Qu'est-ce que vous allez faire ?
Alexa trouva la question vraiment
indiscrète ! Comme elle ne voulait pas être
désagréable (enfin, un peu quand même…),
elle se contenta de dire :

– Des trucs de filles.

Au regard que lui lança Tonino, Alexa comprit qu'ils n'allaient pas être copains, tous les deux. Elle s'en moquait bien d'ailleurs !

– Bon, alors, tu viens ? insista-t-elle.

– Oui, une seconde ! répliqua Idalina. Tu... penseras aux paroles de la chanson, Tonino ?

– Bien sûr. Je te les donnerai plus tard. *Até mais[3] !*

Idalina se leva pour suivre Alexa. Elle était fâchée contre elle et lui reprocha de s'être montrée très mal élevée. Alexa préféra ne rien répondre. Elles n'allaient pas se disputer à cause d'un garçon !

---

3. Até mais *(en portugais du Brésil)* : au revoir.
Se prononce : atè maïsse.

Chapitre 3

Attention danger !

Sur le seuil du château, Alexa soupira.

– Ah, c'est dommage qu'il ne neige plus. J'aurais tant aimé qu'il y ait un beau tapis blanc sur la pelouse du parc !

– Il n'est tombé que quelques flocons, répondit Rajani. Quand j'étais dans l'Himalaya avec ma grand-mère pour rencontrer les...

– Hé ! cria soudain Naïma. Mais on a oublié Jazz !

– Non, pas du tout, répondit Alexa.

M. Meyer est parti pour la journée.

En avant, les Kinra Girls !

Elle sauta les marches du perron et se mit à courir. Kumiko et Naïma la suivirent aussitôt. Rajani regarda Idalina.

– Ça va ? lui demanda-t-elle. Tu as l'air un peu... préoccupée.

– Quoi ? sursauta Idalina. Non. Non, non !

– Qui c'était, ce garçon ? Il est dans ton cours de guitare ?

– C'est... c'est un élève de M. Ramos.

– Vous travaillez ensemble sur un morceau ?

– On devrait se dépêcher. Les autres sont déjà loin !

Idalina n'avait pas envie de parler de Tonino avec Rajani. Elle préféra s'échapper en courant. Arrivée la première à la lisière de la forêt, Naïma leva les deux bras en l'air.

— J'ai encore gagné !

— Ben, c'est pas juste, rétorqua Alexa. Moi, je porte mon sac avec tout le matériel dedans ! Bon, alors on explore le souterrain sous le cimetière, comme prévu ?

— Ah mais non ! protesta Naïma. On avait dit pas le…

Elle s'interrompit en voyant les yeux d'Alexa pétiller. Elle haussa les épaules et fit semblant d'être fâchée.

— Ah d'accord, tu sais à quel point j'ai peur des cimetières et tu te venges parce que je t'ai battue à la course. Mauvaise perdante !

Puis elle se mit à rire. Les cinq filles empruntèrent le chemin habituel qui menait au village abandonné.

— Je n'aime pas traverser la forêt sans Jazz, avoua Kumiko.

Attention danger !

— Tant que nous sommes ensemble,
on n'a rien à craindre, l'assura Rajani.
Les pluies abondantes des jours précédents
avaient gonflé le cours de la rivière. Les
Kinra Girls avancèrent avec précaution sur
la berge. Dès qu'elles eurent atteint le pont,
elles recommencèrent à discuter entre
elles. Elles avaient décidé d'explorer les
souterrains qu'elles avaient découverts sous
l'église[4]. Elles s'y étaient déjà aventurées,
mais n'étaient pas allées très loin.
La clé de l'église était cachée derrière une
pierre sur laquelle était gravée une patte
de lion. Naïma la récupéra et ouvrit la
porte. Il n'y avait qu'une statue à l'intérieur,
celle de saint Marc accompagné d'un lion
ailé. Alexa sortit de son sac la roue de fer
qu'elles avaient trouvée sous une dalle
de l'infirmerie. Elle la rentra dans le cercle
en creux du socle de la statue et la tourna

4. *Voir le tome 6 des Kinra Girls*, La Clé d'or.

d'un coup sec du poignet.
Dans un grondement sourd,
la statue glissa sur le côté,
révélant un passage. Alexa
distribua les lampes torches.
L'une derrière l'autre, elles
descendirent les quelques
marches qui menaient
à la première salle.
Le regard d'Idalina
dériva vers le coffre
qui contenait les restes
de leur ami, le chat
fantôme. Elle ressentait toujours
du chagrin en pensant que le pauvre chat
reposait là. Rajani s'arrêta devant l'énorme
porte bardée de lourdes barres de fer. Elle
réclama la clé d'or à Alexa. En s'éclairant
avec sa lampe, elle chercha le minuscule
trou de la serrure.

– Ça y est… murmura Kumiko

en entendant le déclic.

En grinçant, la porte tourna sur ses gonds.
Impressionnées malgré elles, les Kinra
Girls contemplèrent l'étroit escalier qui
s'enfonçait dans les profondeurs de la terre.

– Bon ! s'écria Alexa, faisant sursauter tout

le monde. On ne va pas rester plantées là !
Elle prit la tête de la petite troupe et
descendit jusqu'au tunnel.

– La salle où il y a l'inscription en latin

est du côté gauche, lui rappela Naïma.
Alexa s'engagea dans la direction indiquée.
Une autre porte fermait la salle. Rajani
utilisa une nouvelle fois la clé d'or pour
l'ouvrir. Les trois mots de latin étaient gravés
dans la pierre au-dessus de la porte suivante.

– *Per inania regna*, lut Idalina.

Dans le royaume des ombres…

– C'est là que nous nous sommes

arrêtées la dernière fois ! J'ai la trouille, soupira Naïma.

— Tu sais, ça signifie peut-être simplement que les souterrains sont dans l'obscurité ! répondit Kumiko.

— Et tu y crois, à ça ? rétorqua Naïma.

— Alors, on fait quoi ? On repart ? dit Alexa.

Pour toute réponse, Rajani introduisit la clé d'or entre deux croisillons de fer de la porte. Elle avait sûrement aussi peur que Naïma, mais elle n'allait pas renoncer pour autant !

— Encore un tunnel, constata Kumiko.

Et il y a encore une porte au bout ! Et encore une salle… vide comme la première. Et comme la troisième ! La quatrième salle était beaucoup plus grande que les précédentes. Alexa sortit le plan du lion[5] de son sac.

5. *Voir le tome 3 des Kinra Girls,* Les Griffes du lion.

– Je parie qu'on est sous le moulin, remarqua-t-elle. Il n'y a pas d'escalier. Le mystérieux visiteur pouvait soulever toutes les dalles qu'il voulait, il n'aurait jamais trouvé le souterrain ! Il n'y a pas d'entrée par le moulin !

– Vous pensez que des gens se cachaient ici ? demanda Idalina.

– C'est possible, supposa Rajani. Dans l'ancien temps, il y avait des bandes de brigands qui pillaient les villages. Et puis les seigneurs se faisaient beaucoup la guerre. Sur Internet, on a vu qu'il y avait un château fort au Moyen Âge. Il ne restait qu'une tour carrée quand Augustus Löwe a acheté le terrain. Il l'a détruite pour construire son château. À mon avis, les souterrains étaient déjà là[6].

Kumiko, Alexa et Naïma examinaient attentivement le plan du lion.

6. *Voir le tome 4 des Kinra Girls,* Qui a peur des fantômes ?

– On vient de là, dit Naïma. La porte
à droite va vers la « tête » du lion.
Celle de gauche… vers l'école, non ?

– C'est ça, acquiesça Kumiko. Il y a quatre
tunnels qui partent de l'école, mais on n'en
a découvert aucun ! C'est notre chance
d'en trouver enfin un ! Alexa, qu'est-ce
que tu fais ? On ne va pas de ce côté !

– Je veux juste jeter un œil, répondit
Alexa. D'après le plan, il y a une salle juste
derrière le moulin. On ne sait jamais, il y a
peut-être quelque chose d'intéressant !
La clé, s'il te plaît, Rajani.

La porte s'ouvrit sur une surprise qui
n'était pas bonne. Le tunnel était en partie
effondré. Alexa escalada un amoncellement
de roches, en dépit des protestations
de Rajani. Idalina, qui s'était aventurée
à sa suite, dérapa sur le sol humide.

– Fais attention ! la mit en garde Naïma.

Il y a de l'eau partout ! Regardez !

Ça coule le long de la paroi.

– Alexa, reviens tout de suite ! ordonna Rajani.

– J'y suis presque ! Pouh ! Je patauge dans une sacrée mare ici ! J'ai de l'eau jusqu'au mollet ! Aïe ! Flûte !

Un gros plouf se fit entendre.

– Alexa ! hurla Rajani, très inquiète.

Un rire lui répondit.

– C'est tout moi, ça ! répondit Alexa.

Miss plaies et bosses ! Je suis trempée !

– Ah, ça suffit ! se fâcha Rajani.

Reviens immédiatement !

Kumiko leva les yeux vers la voûte du souterrain.

– Arrête de crier, dit-elle à voix basse.

Les filles, reculez…

– Quoi ? fit Naïma, interloquée.

Kumiko l'empoigna brusquement et la tira

en arrière. Rajani comprit aussitôt.

Elle repoussa Idalina vers la salle du moulin.

Un gros bloc de pierre se détacha soudain
du plafond et s'écrasa violemment sur le sol.
À quelques secondes près, il serait tombé
sur Naïma !

– Me... merci... bégaya celle-ci,
toute tremblante.

– Alexa ! s'affola Rajani. Alexa !

La silhouette de l'Australienne apparut dans
le rayon de lumière de la lampe d'Idalina.

– Dépêche-toi de sortir, la pria Kumiko.
C'est trop dangereux, ici.

– Tout le monde va bien ? demanda
Alexa. Bon. Dommage que ce tunnel soit
en mauvais état. J'espère que c'est le seul.
Voyons si l'autre est...

– Il n'est pas question de prendre plus
de risques ! la coupa Rajani. Nous avons
été bien bêtes de croire qu'on pouvait

se promener sous terre en toute sécurité !

– Mais… commença Alexa.

– Y a pas de mais ! rétorqua Rajani.

On rentre ! Et puis, tu ne peux pas

rester avec des vêtements mouillés,

tu vas attraper froid ! Allez ! Demi-tour !

Kumiko et Alexa échangèrent un regard.

Quand Rajani était comme ça, ce n'était pas

la peine de discuter.

Chapitre 4

Le porte-bonheur

Les Kinra Girls marchaient en file indienne à travers la forêt. Comme ça se produit souvent quand on doit faire face à un danger immédiat, elles n'avaient pas vraiment compris à quoi elles avaient échappé. À présent, elles se rendaient compte qu'un drame avait été évité de justesse. Alexa frissonna. Son pantalon était trempé. Naïma revivait encore et encore le moment où Kumiko

l'avait saisie par le bras pour la tirer en arrière.
Sans la Japonaise, elle aurait reçu le bloc
de pierre sur la tête !

— Plus jamais ça ! dit soudain Rajani.
T'entends, Alexa ?

— Oui, répondit Alexa d'une toute petite
voix.

— Mais on ne va pas renoncer à explorer
les souterrains ? Si ? demanda Kumiko.

— Je ne veux plus y mettre les pieds…
grommela Rajani.

— Et le trésor ? insista Kumiko.

Rajani écarta les bras et poussa un soupir
d'exaspération.

— Il n'y a pas de trésor ! s'écria-t-elle. Enfin,
vous avez bien vu ? Il n'y a que des salles
vides et des tunnels qui s'effondrent !

— Un, corrigea Kumiko. Un seul tunnel !
Je crois que c'est parce que l'eau de la
rivière s'infiltre dedans. Il faut absolument

qu'on découvre les passages sous l'école.
Je suis sûre que...

– Rien du tout ! l'interrompit Rajani.
Un silence pesant suivit jusqu'à ce qu'elles
sortent de la forêt. Des garçons faisaient
une partie de foot sur la prairie. Tonino était
parmi eux. Dès qu'il aperçut Idalina dans
le groupe de filles, il s'empara du ballon
et commença à jongler avec. Le Brésil est
LA nation du football, cinq fois championne
du monde, un record ! Tous les Brésiliens
y jouent sur la plage ou dans la rue. Comme
le bon **Carioca** qu'il était, Tonino était fou
de foot. Il était d'ailleurs très doué. On avait
l'impression qu'il dansait avec le ballon.
Les autres joueurs protestèrent à grands
cris de « Hé, passe le ballon ! ». Idalina
ralentit le pas pour admirer Tonino.

– En voilà un frimeur ! ricana Naïma.
De retour dans la chambre 325, Rajani

proposa de finir… leurs devoirs. Malgré
les grimaces de protestation d'Alexa
et de Kumiko, elle tint bon.

— Un moment de calme au chaud
nous fera beaucoup de bien,
affirma-t-elle.

Alexa comprit que Rajani ne céderait pas.
Alors, elle essaya de négocier.

— D'accord. Débarrassons-nous des
devoirs cet après-midi. Comme ça,
demain, on...

Rajani croisa les bras et la regarda d'un œil
sombre.

— On... reprit Alexa, on pourrait...
peut-être...

— Non, dit Rajani.

— C'est pas à toi de décider pour tout
le monde ! rétorqua Kumiko. On n'a
qu'à voter ! Moi, je veux continuer
l'exploration ! Alexa aussi ! Idalina ?
Hello ? Tu nous écoutes ?

Idalina s'était plantée devant la fenêtre
pour observer la partie de foot en cours.

Elle se retourna et, sans trop savoir pourquoi, elle répondit :

— J'ai une chanson à apprendre.

Guitare et chant. Alors, heu... ben non. Idalina pensait à *La Fille d'Ipanema*, mais ses amies crurent évidemment qu'il s'agissait d'un travail obligatoire.

— Deux oui, deux non, comptabilisa Kumiko. Naïma, ta voix est décisive.

— Je sais pas trop... hésita l'intéressée. J'ai failli me prendre un morceau de tunnel sur la tête, moi !

— On sera plus prudentes à l'avenir, l'assura Kumiko. N'est-ce pas, l'Australienne ?

— Juré ! promit Alexa, la main sur le cœur.

— D'accord, acquiesça Naïma, d'un air peu convaincu.

— Mais non, ça ne marche pas comme

ça ! dit Rajani. Idalina ne pourra pas
venir si elle a du travail !

– Oh, c'est pas grave, répondit Idalina.
Pour une fois…

En fait, elle était plutôt contente à l'idée
de rester seule. Elle avait envie d'être dans
une bulle, à rêver de samba et de plages
ensoleillées… et d'un garçon prénommé
Tonino.

– Alexa, il serait peut-être temps que
tu enlèves tes vêtements mouillés,
remarqua Rajani.

– Oh ! pas de problème, je sèche devant
le radiateur ! Alors, Idalina et Rajani ne
viendront pas avec nous demain, c'est ça ?

– N'espère pas te débarrasser de moi
aussi facilement, répliqua Rajani.
Je vous connais ! Si je ne suis pas là
pour vous surveiller, quelles bêtises
vous allez encore inventer ? Je viens !

– Je n'aime pas qu'on se sépare, déclara
Naïma. Les Kinra Girls doivent tout faire
ensemble, non ?

– On n'est pas enchaînées l'une à l'autre,
quand même, dit Idalina. Chacune
d'entre nous a le droit de faire
des choses de son côté.

Kumiko fronça les sourcils. Ce genre
de réflexion sonnait bizarrement
dans la bouche de la petite Espagnole.
Rajani était fâchée contre elle-même
d'avoir finalement accepté de retourner
dans les souterrains.

– Maintenant, on fait nos exercices
de maths, ordonna-t-elle. Et après,
on apprend nos leçons d'histoire
et de géographie !

Trop contentes d'avoir réussi à la faire
changer d'avis, Kumiko et Alexa la laissèrent
jouer à la grande sœur sans protester.

***

Le soleil fit une timide apparition
le lendemain après-midi. M. Meyer étant
revenu à l'école, Alexa passa chercher Jazz
pour sa promenade. Dès que ses amies
partirent en direction de la forêt, Idalina
se dirigea vers la cafétéria. Elle avait
aperçu Tonino y entrer quelques minutes
auparavant. Dans sa tête, elle préparait
ce qu'elle allait lui dire. Lui demander la
partition de *A Garota de Ipanema*... Heu, non.
Dire bonjour d'abord ! « Salut, Tonino ! »
Heu non... plutôt : « Ah tiens, tu es là ! »
Non, c'était idiot, ça.
Quand elle arriva près de la table où était
assis Tonino, elle se trouva incapable de
prononcer un mot. Fort heureusement,
le Brésilien était très bavard.

    – Ah, super ! s'écria-t-il. Justement,
    je voulais te voir ! Ça te plairait de faire

un duo chant et guitare avec moi ?

Idalina bégaya une réponse indistincte.

– Parfait ! Qu'est-ce que j'ai fait de
la partition ? Ah oui ! Elle est dans
l'étui de ma guitare. Tu viens ?

Idalina suivit Tonino qui se lança dans
une longue explication sur la bossa-nova.
Idalina l'écoutait, des étoiles dans les yeux.
Tonino lui proposa de se rendre dans la salle
de musique.

– Elle n'est pas fermée, le dimanche ?
s'étonna Idalina.

– Ah, si… Je n'avais pas pensé à ça…
Ce n'est pas grave, on n'a qu'à aller
dans ma chambre ! Mon coloc
joue aux cartes dans la cafétéria,
on ne sera pas dérangés.

Idalina entra dans la chambre de Tonino.
Il l'invita à s'asseoir sur le lit et, au lieu
de prendre sa guitare, il entreprit de lui

raconter sa vie au Brésil, en long, en large
et en travers. Il n'oublia pas de dire, comme
ça en passant, qu'il avait gagné son premier
concours de guitare à l'âge de 6 ans. Et s'il
avait été choisi par l'Académie Bergström,
c'était bien normal puisqu'il gagnait tous
les concours !

– Ma maman est née dans l'État de Bahia.
Tu sais ce que l'on dit là-bas ? Souriez,
vous êtes à Bahia ! C'est le pays de la joie
de vivre ! Ma maman est architecte.
Les immeubles qu'elle a dessinés
à Rio et à Salvador sont magnifiques !
Elle a reçu plein de récompenses,
des médailles et des prix. Elle est
connue dans le monde entier !

Idalina était en adoration devant Tonino.
Il était beau, il était talentueux, il était
charmant, il était passionnant !
Tonino se pencha brusquement vers

son bureau. Il ouvrit un tiroir et en sortit un ruban bleu sur lequel était écrit « SENHOR DO BONFIM[7] ».

– Qu'est-ce que ça veut dire ? demanda-t-elle.

– Le *Senhor do Bonfim*, c'est le patron des marins et de la ville de Salvador. Bofim était un marin portugais. Pour remercier Dieu de l'avoir sauvé d'une tempête, il a construit une église sur une colline de la ville. On le fête au mois de janvier. Tout le monde achète des *fitinhas*, des rubans comme celui-là. C'est un porte-bonheur. Tends ton bras.

Tonino passa le ruban autour du poignet d'Idalina.

– Je vais faire trois nœuds. À chaque nœud, tu fais un vœu. Tu es prête ?

Idalina acquiesça. Tonino compta :

---

7. Senhor do Bonfim *(en portugais du Brésil) : Seigneur des belles fins.*

– Un... deux... trois. Maintenant, tu dois
garder le bracelet jusqu'à ce qu'il soit
si usé qu'il tombe tout seul. Et ce jour-là,
tes trois vœux se réaliseront !

– Oh merci ! dit Idalina, les joues
rouges de contentement. En plus,
c'est ma couleur préférée !

Elle rit de plaisir. Tonino lui avait offert
un merveilleux cadeau. Un cadeau qui
exauce les souhaits !

Chapitre 5

Le retour
du mystérieux visiteur

Pendant qu'Idalina profitait d'un bon
moment en compagnie de Tonino,
les autres Kinra Girls arrivaient au
village abandonné. Jazz s'immobilisa soudain
sur le vieux pont. Puis il se mit à tourner
en rond autour des filles et, finalement,
s'arrêta, le museau levé vers Alexa.
Un grognement sourd sortit de sa gorge.

– Heu là ! s'exclama Alexa. Il y a quelque chose qui ne te plaît pas ?

Naïma se baissa brusquement. Elle ramassa une boulette de papier vert qu'elle déplia.

– Un emballage de chewing-gum... murmura Kumiko.

– Comme celui qu'on a trouvé devant le moulin[8] ? demanda Rajani.

– C'est la même marque, affirma Kumiko.

– Le mystérieux visiteur est de retour, dit Alexa. Flûte alors ! Qu'est-ce qu'on fait ? On lâche le chien à ses trousses ?

– T'es pas un peu folle ? répondit Rajani.

– Quoi ? fit Alexa. On est sur le domaine de l'école ! Il n'a pas le droit d'être ici.

– Il faudrait savoir où il est allé, remarqua Naïma.

Alexa caressa la tête de Jazz.

– Allez, mon gros, cherche ! Cherche !

Le labrador la regarda comme s'il partageait

---

8. *Voir le tome 3 des Kinra Girls,* Les Griffes du lion.

l'avis de Rajani : cette fille était folle ! Mais comme Alexa insistait, il se mit en chasse, le nez collé au sol. Il partit tout droit sur la vieille route défoncée. Rajani observait les alentours. Et si le mystérieux visiteur traînait encore dans les environs ? Alexa sembla deviner ses pensées.

— Jazz ne serait pas aussi calme s'il sentait sa présence.

Naïma, qui s'était éloignée de quelques pas, se retourna vers ses amies. Elle avait l'air effrayé.

— Il y a des traces de pas dans la boue... Elles vont vers le cimetière !

— Il a des grands pieds, constata Alexa. On va suivre les... quoi ?

Naïma répétait des « non, non ! » énergiquement. Pas question pour elle d'entrer dans le cimetière ! Elle avait trop peur de fâcher les esprits. Kumiko proposa d'y aller avec Alexa. Pendant qu'elles discutaient entre elles, Rajani continuait d'avancer. Elle s'immobilisa et fit signe à ses amies de la rejoindre.

– Il est allé jusqu'à la tombe d'Augustus Löwe, vous voyez ? Le damier en spirale sur la pierre tombale ! Et les lettres inscrites dans toutes les neuvièmes cases ! C'était quoi le mot, déjà ?

– *Justitia*, se rappela Naïma. « Justice » en latin.

Alexa marcha jusqu'à la tombe pour vérifier. C'était bien cela. Le mot « *Justitia* » était gravé dans la spirale. Rajani regarda les traces de pas dans la boue. Elle prit une brusque décision.

– Tant que le mystérieux visiteur rôde, nous sommes en danger. Ce n'est pas prudent de revenir ici.

– Mais il essaie de nous piquer notre

trésor ! grommela Kumiko.

– Arrête avec cette histoire de trésor !
s'énerva Rajani. Une bonne fois pour
toutes : il n'y en a pas, de trésor !
Y en a pas !

– Comment tu le sais ? rétorqua Kumiko.
Craignant que la discussion ne vire à la
dispute, Naïma s'empressa d'intervenir.

– Je crois que nous devons parler.
Toutes les cinq, c'est évident.
Bora[9] dans la chambre 325 !
Alexa, qui n'avait pas envie de rentrer,
examinait les empreintes sur le bord
du chemin.

– Il est ressorti du cimetière par là...
Il est parti en direction de la rivière...
Elle s'agenouilla dans la terre. Jazz, intrigué,
tourna autour d'elle.

– Qu'est-ce que tu fabriques ? s'étonna
Kumiko.

9. Bora : *cérémonie sacrée chez les Aborigènes.*
Signifie « réunion secrète » pour les Kinra Girls.

– J'imite les traqueurs aborigènes. Ils peuvent suivre quelqu'un pendant des jours. Ils observent les cailloux, les brins d'herbe, une ligne dans le sable et ils te disent : « C'est un homme, il a faim, il a pas le moral et il s'est coupé l'index ! »

– Quelle bonne blague ! rit Naïma.

– C'est pas une blague, répondit Alexa. La police australienne fait appel aux traqueurs aborigènes pour retrouver les personnes perdues. Surtout dans la jungle parce que les hélicoptères ne sont pas très efficaces quand il y a beaucoup de végétation. Les traqueurs sont incroyables ! Ils repèrent tout, même les plus petits détails ! Ils lisent dans la nature comme dans un livre ouvert. Ils se transmettent leur technique de génération en génération. Malheureusement, ils ne sont plus très nombreux.

Alexa se pencha pour renifler un tas
de brindilles sèches.

– Alors, docteur ? plaisanta Naïma.

Le mystérieux visiteur a la grippe ?

Alexa ignora la remarque et se releva.

– Le mystérieux visiteur pèse au moins
80 kilos, il a les cheveux bruns et il est
de mauvaise humeur !

– Explique-nous, la pria Rajani,
très intéressée.

– Je fais comme les traqueurs. J'observe,
je me mets à la place de celui que
je traque et j'en tire des conclusions.
Regardez bien mes empreintes : elles
sont légères. Celles du visiteur sont
profondes. C'est la preuve qu'il pèse
beaucoup plus lourd que moi !

Alexa avança jusqu'à un bosquet d'arbres.
Elle montra des branches cassées net.

– Il est passé en force entre ces arbres
serrés, ce qui me donne à penser
qu'il est peut-être assez gros.

Et je sais qu'il est brun parce que…
Avec deux doigts, Alexa enleva une petite
touffe de cheveux accrochés dans les
branchages.

– Les arbres se sont vengés en lui
arrachant les cheveux ! dit-elle en riant.

– T'es trop forte… admira Naïma.

– Jusque-là, d'accord, admit Kumiko.
Mais comment tu peux affirmer qu'il
est de mauvaise humeur ?

– Un bon traqueur se met à la place de
celui qu'il suit. Là, c'est vrai, je dispose
d'informations sur le mystérieux
visiteur, alors c'est un peu de la triche…
Je suis sûre qu'il n'est pas content
parce qu'il n'a toujours pas trouvé
les souterrains !

– À mon tour de jouer, déclara Rajani.
Le mystérieux visiteur boite ! Et je le
prouve ! Son pied droit s'est moins
enfoncé dans la boue que l'autre.
Ce qui signifie qu'il s'appuie davantage
sur sa jambe gauche quand il marche.
Donc il boite !

– Pas mal, complimenta Alexa.
Je n'avais pas vu ça...

Jazz, qui commençait à s'ennuyer, se coucha
par terre pour se frotter le dos. Alexa protesta
à grands cris. Miss Daisy allait encore râler

si elle lui ramenait le chien tout sale !

— Rentrons maintenant, proposa Rajani.

Sur le chemin du retour, Alexa eut de nouvelles raisons de crier contre Jazz. Le labrador n'en faisait qu'à sa tête. Il courait partout, sautait dans le moindre trou d'eau stagnante et se roulait dans les feuilles mortes. Mais quand il coursa un malheureux lapin qui n'avait rien demandé, Alexa se fâcha pour de bon. Jazz sentit bien dans le ton de sa voix que, cette fois, son amie ne riait pas du tout. Penaud, il revint vers elle, la tête baissée. Il essaya de l'amadouer en lui léchant la main. Alexa en profita pour le saisir par le collier. Jusqu'au perron de l'école, elle l'obligea à rester près d'elle en le tenant fermement.

Alexa entra dans le bureau de Miss Daisy qui poussa un énorme soupir de désespoir en apercevant le chien.

– J'ai compris, dit Alexa.

Je vais directement au sous-sol !

Au sous-sol se trouvait le local où étaient
les machines à laver et la bassine de Jazz.
Le labrador adorait l'eau et, d'ordinaire,
se laissait manipuler. Mais ce jour-là,
Jazz était vraiment d'humeur taquine.
D'un panier de linge sale, il tira un torchon
et commença à le mordiller. Quand
Alexa voulut le lui reprendre, il s'échappa,
le torchon entre les dents. Il se dirigea
droit vers la réserve où étaient entreposées
les bouteilles et les boîtes de conserve.
Furieuse, Alexa fonça à sa poursuite.
Elle buta dans un carton de pots de sauce
bolognaise, perdit l'équilibre et s'étala
de tout son long au milieu des bidons
d'huile d'olive.

– Nom de nom, Jazz ! gronda-t-elle.

Tu vas me le payer !

Alexa écarquilla les yeux. À peine visible
sous les étagères, il y avait une patte de lion
gravée dans la pierre…

Chapitre 6

Naïma fait une triste découverte

Hilare, Alexa se roula sur le lit de Rajani.

– Si je ne m'étais pas cassé la figure, je n'aurais jamais vu la patte de lion ! On ne peut pas l'apercevoir sous les étagères si on se tient debout !

– Je suis sûre que c'est un des souterrains du château qui part de là, dit Kumiko. Il faut qu'on vérifie, ce soir !

– Ah non ! s'écria Rajani. On ne se promène pas la nuit quand il y a cours le lendemain.

– Mais on n'a rien fait, aujourd'hui, à cause du mystérieux visiteur ! protesta Alexa.

– Vous oubliez la tombe, leur rappela Naïma. Si le visiteur s'y est arrêté, c'est que c'est un indice important. Quoi, ça... je ne sais pas.

Elle se tourna vers Idalina qui était restée assise sur le lit de Kumiko. La petite Espagnole semblait absente, les yeux dans le vague. Naïma remarqua que son amie tripotait le ruban bleu autour de son poignet.

– C'est nouveau, ce bracelet ? demanda-t-elle.

Idalina battit plusieurs fois des paupières comme si elle se réveillait d'un rêve. Elle rougit et ne répondit pas. Alexa soupira.

– Ah d'accord ! dit-elle. C'est pour ça que tu n'es pas venue avec nous. Tu as un amoureux !

– Pas du tout ! Et d'abord, c'est toi qui as un amoureux !

– En Australie ! Et jamais je n'abandonnerai les Kinra Girls pour un garçon, même mon Jimmy !

Naïma regarda Idalina, la mine renfrognée.

– Tu nous as menti.

Les joues d'Idalina devinrent encore plus rouges.

– Je... je ne l'ai pas fait exprès... bégaya-t-elle. C'est sorti comme ça...

Rajani, voyant que les larmes n'étaient pas loin, intervint rapidement.

– Oh, ce n'est pas grave ! On a le droit
d'avoir un jardin secret ! Allez, raconte.
C'est qui ?

Idalina sourit. Elle commença à parler
de Tonino. Le Brésilien était tellement
génial, tellement doué, tellement gentil
et tellement beau !

– Ça ressemble à une comédie musicale
de Bollywood[10] ! plaisanta Rajani.
J'imagine l'histoire : la jeune fille
rencontre un jeune homme qui vient
d'un autre pays. Les sœurs de la jeune
fille sont furieuses : pas question qu'elle
épouse un étranger ! Mais l'amour gagne
toujours et tout finit par des danses et
des chansons !

Rajani expliqua que les studios de cinéma de
Bollywood se trouvaient dans sa ville natale,
Mumbai. Dans le passé, Mumbai s'appelait
Bombay. Le nom de Bollywood avait été

10. *Bollywood : nom donné à l'industrie cinématographique
indienne établie à Mumbai.*

fabriqué à partir de ceux de Bombay et
de Hollywood. L'Inde est l'un des grands
pays producteurs de films. Ce sont surtout
les comédies musicales qui ont rendu
Bollywood célèbre dans le monde entier.
Rajani se mit à danser à la manière de
Bollywood en fredonnant une chanson très
rythmée. Elle prenait des poses maniérées
en faisant des grimaces assez comiques.
Naïma retrouva sa gaieté naturelle.
Oublié, le mensonge d'Idalina !

> – Bravo ! applaudit Kumiko. On s'y
> croirait ! J'adore !
> – Rajani est marrante quand elle veut,
> constata Alexa avec étonnement.

Naïma bondit sur ses pieds et demanda
à Rajani de lui apprendre quelques pas.
Dix minutes plus tard, les cinq Kinra Girls
s'amusaient à danser ensemble selon les
indications de Rajani.

– Ouf ! s'écria Alexa en s'effondrant
sur une chaise. C'est plus sportif que je
ne l'imaginais ! Mais c'est super drôle !

– Dommage qu'on manque de place
dans la chambre, regretta Rajani.
Naïma déclara qu'elle avait faim. Il était
grand temps de descendre pour le dîner.
Discrètement, Kumiko toucha le bras
d'Alexa et lui fit un clin d'œil deux fois
de suite. Alexa reconnut aussitôt le signal
« suivez-moi » du code d'urgence des Kinra
Girls. Elle devina que la Japonaise souhaitait
lui parler. Alors, elle attendit que les autres
s'éloignent un peu.

– Il faut absolument qu'on explore
le sous-sol ce soir, souffla Kumiko.

– Je suis bien d'accord, répondit Alexa.
Malheureusement, Rajani ne voudra
jamais.

– Flûte, grommela Kumiko, ce n'est pas

à elle de décider pour tout le monde.
Naïma les appela et les pria de se dépêcher.
Comme souvent, elle arriva la première
au réfectoire et prit aussitôt sa place dans
la file. Elle hésitait entre la petite salade
composée et l'assiette de charcuterie.
Une fille lui tapota l'épaule.

– Hé, tu choisis, oui ? demanda celle-ci.
On ne va pas y passer la nuit !

– Désolée, s'excusa Naïma en prenant
la salade.

Et à cet instant, elle aperçut le ruban bleu
qui ornait le poignet de la fille. Elle pouvait
lire « SENHOR DO BONFIM » sur le ruban.

– Sympa, ton bracelet, dit-elle.

– Oui, acquiesça la fille en souriant. C'est
un bracelet brésilien. Ça porte bonheur.

– Ah ! Tu es brésilienne ?

– Oh non ! Pas du tout ! rit la fille.
C'est un cadeau de mon amoureux !

Naïma sentit une boule
lui serrer la gorge. C'était
clair. Le « merveilleux »
Tonino qui faisait battre
le cœur d'Idalina n'avait
rien de merveilleux !
Mais comment
Naïma pouvait-elle
le dire à son amie ?
Troublée par ce qu'elle venait de
découvrir, Naïma restait figée sur place,
son plateau à la main. Kumiko surgit
derrière elle. Elle crut que Naïma
cherchait où s'asseoir.

— Il y a une table libre là-bas.
Naïma se retourna. Kumiko vit sur
son visage que quelque chose n'allait pas.

— Qu'est-ce qu'il y a ?

— Tonino n'est qu'un sale cafard,
répondit Naïma.

Elle lui raconta rapidement ce qui venait
de se passer dans la file.

– Tu connais Idalina. Elle est hypersensible
et je suis sûre qu'elle va souffrir quand
elle comprendra que Tonino n'est pas
sérieux. Il faut absolument lui sortir ce
garçon de la tête avant qu'il soit trop tard.

– Comment veux-tu t'y prendre ?
C'est délicat... Je sais ! Ce soir,
on devrait explorer le sous-sol
pour lui changer les idées.

– En quoi ça pourrait nous aider ?

– Ben, heu... balbutia Kumiko, peut-être
que si on trouve le trésor...

Naïma fronça les sourcils, assez fâchée.

– Rajani a raison, t'es complètement
obsédée par cette histoire de trésor.
Tu t'en moques, d'Idalina !

– Mais c'est pas vrai ! protesta Kumiko.
Chut ! Voilà les autres...

Alexa se dirigea d'emblée vers la table libre.
Idalina regardait tout autour d'elle. Elle
espérait sans doute que Tonino soit là.
Elle fut déçue. Tonino avait probablement
dîné pendant le premier service.
Naïma était très tourmentée. Elle ne pouvait
pas dire comme ça : « Oh, tu vois la fille au
fond, près de la baie vitrée ? C'est fou ce que
son bracelet ressemble au tien ! » Idalina
risquait de fondre en larmes devant tout
le monde ! On ne fait pas ça à sa meilleure
amie. Naïma devait bien admettre qu'il n'y
avait pas de bonne solution. Peu importait
la manière dont elle s'y prendrait, Idalina
aurait du chagrin.

Chapitre 7

Augustus n'a pas dit son dernier mot

Naïma eut une brusque inspiration en arrivant devant la chambre 325.
— Hé, Idalina ! s'exclama-t-elle le plus joyeusement possible. Et si tu allais chercher ta guitare ? Ce serait sympa que tu nous joues un peu de musique !

Kumiko, ennuyée d'avoir été prise pour une égoïste par Naïma, saisit l'occasion de se racheter aux yeux de cette dernière.

– J'adore ! Tu pourrais nous chanter
des chansons de ton pays !

Idalina accepta bien volontiers. Naïma
profita de sa brève absence pour mettre
Alexa et Rajani au courant de ce qui s'était
passé au réfectoire.

– Mais quel gros nul, ce Tonino ! gronda
Alexa. Il a plusieurs amoureuses ?

– Ne concluons pas trop vite, conseilla
la raisonnable Rajani. Peut-être que
cette fille a menti ou qu'elle se fait
des illusions.

– Tu plaisantes ? rétorqua Kumiko.
Son bracelet brésilien n'est pas
imaginaire, en tout cas !

– Je dis seulement qu'il ne faut pas
se précipiter, répondit Rajani.
Et si on se trompait ? Essayons d'abord
d'en apprendre plus sur ce garçon.

– Une enquête… murmura Alexa,

l'air gourmand. Ça, ça me plaît...

– Tout est un jeu pour toi, lui reprocha
Naïma.

– Il n'est pas interdit de joindre l'utile
à l'agréable, répliqua l'Australienne.

Quelques coups frappés à la porte coupèrent
court à la discussion. Rajani ouvrit.

– Désolée d'avoir un peu traîné,
dit Idalina en entrant. Je ne retrouvais
pas mes partitions.

Kumiko fit de la place sur son bureau
pour lui permettre d'y poser les partitions.
Rajani regarda d'un œil critique les piles
branlantes de papiers, de cahiers,
de classeurs et de livres, sans oublier
les tas de stylos, de crayons et de gommes.

– Je ne sais pas comment tu peux
travailler avec autant de choses
sur ton bureau, soupira-t-elle.

– J'ai résolu le problème, je ne travaille

pas ! plaisanta Kumiko.

Idalina s'assit sur une chaise et accorda
sa guitare. Elle annonça qu'elle allait
commencer par une chanson pour
les enfants intitulée *Les Dix Petits Chiens*.

    *– Yo tenía diez perritos, uno se perdió en
la nieve, no me quedan más que nueve*[11]*...*
chanta Idalina.

Comme on pouvait s'y attendre, les petits
chiens disparaissaient les uns après
les autres jusqu'au dixième qui, un jour,
partit à la campagne... Et il ne restait
plus aucun des dix petits chiens !
Idalina connaissait beaucoup de ces
chansons enfantines espagnoles
qu'elle interprétait avec humour. Son
accompagnement à la guitare était parfois
un peu incertain, mais ses amies s'en
moquaient bien car elles s'amusaient

---

11. Yo tenía diez perritos, uno se perdió en la nieve, no me
quedan más que nueve *(en espagnol)* : *J'avais dix petits chiens,
un s'est perdu dans la neige, il n'en reste plus que neuf.*

énormément. La sonnerie du couloir
retentit. Hélas, il était déjà l'heure pour tous
les élèves de retourner dans leurs chambres.
Alexa et Kumiko échangèrent un regard.
Kumiko se lança :

— Rendez-vous à minuit ?

Rajani protesta aussitôt. Elles s'étaient mises
d'accord pour ne plus se promener la nuit
quand il y avait classe le lendemain.

— On veut juste vérifier qu'il y a
un passage secret, dit Alexa. Si vous
préférez dormir, Kumiko et moi,
on peut y aller toutes les deux.

— C'est ça, grommela Rajani. Et si vous
vous prenez une pierre sur la tête ?

Kumiko remarqua qu'il n'y avait pas de
risque dans le château. Les souterrains
y étaient certainement plus solides
que près de la rivière.

En les écoutant, Naïma réfléchissait.

Finalement, Kumiko avait peut-être raison :
une petite exploration entre filles, ce n'était
pas une mauvaise idée. Si seulement
ça pouvait empêcher Idalina de penser
à ce Tonino !

    – Moi, j'ai envie de savoir s'il y a un
passage, dit-elle. Tu es partante, Idalina ?

    – Je ne suis pas contre, répondit Idalina.
Mais je n'irai pas sans Rajani.

    – Bon, ça va ! s'écria Rajani. Et à minuit et
demi, on sera toutes au lit, c'est compris ?

    – Oui, maman ! rit Alexa.

***

Alexa s'assura que Michelle, sa colocataire,
dormait profondément avant de quitter
sa chambre. Elle aperçut Naïma au bout du
couloir. Celle-ci lui fit signe de se dépêcher.
Les autres étaient en train de descendre.
Au moins, se rendre au sous-sol était facile.

Pas de porte verrouillée et pas besoin de
sortir de l'école.

Une fois dans le hall, Alexa prit la tête de la
troupe. Elle connaissait le chemin par cœur !
Dans la remise, à la surprise générale,
elle alluma la lumière.

    – Pas la peine de rester dans le noir.

    Personne ne peut nous voir, ici !

    La patte de lion est sous ces étagères-là.
Kumiko se mit à plat ventre et, sans hésiter,
elle appuya fortement sur la pierre gravée.
Le pan de mur recula aussitôt. Il s'arrêta
si brusquement que les boîtes de conserve
empilées sur les étagères se mirent
à vaciller.

    – Attention ! prévint Rajani.

    Tout va s'écrouler !
Naïma rattrapa au vol trois boîtes de fruits
au sirop. Alexa réussit à empêcher les piles
de boîtes de petits pois de tomber en les

bloquant avec les mains. Les tomates pelées et les haricots verts eurent moins de chance.

— Heureusement que ce ne sont pas des bocaux en verre, constata Idalina.

Kumiko n'avait pas l'intention de perdre du temps à discuter de conserves. Elle s'était vite relevée et déjà se glissait dans l'étroite ouverture.

— Ah bah, zut ! fit-elle. C'est une minuscule pièce carrée. Il n'y a rien. Comprends pas.

Alexa et Naïma entrèrent à leur tour.

— Ce n'est pas possible qu'il n'y ait rien, lança Naïma. Cherchons une patte de lion.

— Si, il y a quelque chose ! s'exclama Idalina en pointant le rayon de sa lampe torche par-dessus l'épaule d'Alexa.

— C'est quoi, ça ? s'étonna Kumiko. Ça ressemble à la coquille d'un gros escargot !

Sur le mur qui lui faisait face, il y avait effectivement des cases gravées en spirale.

— Regardez ! dit Idalina. Il y a des lettres dans les cases. Oh… C'est l'alphabet !

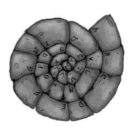

Un silence suivit. Puis soudain, Rajani poussa un cri.

— J'ai trouvé ! *Justitia !* Le mot sur la tombe d'Augustus Löwe. Il faut l'« écrire » en appuyant sur chacune des lettres !

— Tu es géniale, admira Alexa. J'essaie !
Dès qu'elle toucha la case du J, celle-ci s'enfonça puis revint en place.

— Vous avez entendu ? demanda Naïma. Il y a eu un déclic. N'oublie pas qu'il y a deux « t » dans *Justitia.*

Le « a » final déclencha le mécanisme.
Le mur tourna, révélant un interminable
escalier qui plongeait dans les profondeurs
de la terre.

    – Impressionnant… murmura Alexa.

    On n'aperçoit même pas le bout.

    – Maintenant, dodo ! dit Rajani.

    On s'en va.

Les Kinra Girls ne savaient pas comment
refermer l'accès à l'escalier, alors elles le
laissèrent ouvert. En revanche, il suffisait
d'appuyer sur la patte de lion pour fermer
le mur de la remise. Les boîtes de conserve
tremblèrent de nouveau, mais les filles
s'y attendaient cette fois et il n'y eut pas
d'autres dégâts.

Chapitre 8

Bon anniversaire !

Le lendemain matin, Idalina fut très étonnée de voir débarquer dans sa chambre Alexa, Kumiko et Rajani. Elle venait à peine de finir de s'habiller.

– Bon anniversaire ! crièrent ses amies, de concert.

Kumiko lui tendit un paquet plat. Ravie, Idalina défit l'emballage et découvrit la photo des chats dans un cadre décoré d'étoiles multicolores.

– On a toutes signé
au dos, dit Rajani.
– Oh merci !
C'est si gentil !
Les petits chats
sont adorables !
Sans le vouloir, Idalina
gâcha le plaisir de Naïma en ajoutant :

– C'est le plus joli cadeau qu'on m'ait
jamais fait ! Avec le bracelet brésilien.
Une autre bonne surprise attendait Idalina.
Miss Daisy vint la chercher car il y avait
quelqu'un au téléphone pour elle. Idalina
retrouva les autres Kinra Girls au réfectoire.
Elle s'assit près d'Alexa.

– C'était Paloma, ma grande sœur,
expliqua-t-elle en souriant. J'étais sûre
qu'elle n'oublierait pas de me souhaiter
mon anniversaire !
Paloma l'avait prévenue que leur maman

l'appellerait dans la soirée. Pour l'instant,
elle était dans l'avion avec tante Luz, quelque
part entre Rome et Amsterdam. La mère
et la tante d'Idalina étaient deux célèbres
danseuses de flamenco et elles parcouraient
l'Europe pour donner des représentations.

— Plus tard, ce sera moi... dit Idalina,
rêveuse. Je chanterai dans les salles
de spectacle du monde entier !
Peut-être que Tonino m'accompagnera
à la guitare ! Ce serait génial, non ?
Naïma se renfrogna. Elle commençait à
en avoir assez d'entendre parler de Tonino !
Pour un peu, ça lui aurait presque coupé
l'appétit. Mais presque, seulement.
L'après-midi, les Kinra Girls se séparèrent
comme d'habitude. Idalina avait plein de
chansons joyeuses dans la tête en arrivant
au cours de la Signora Della Torre. Par un
heureux hasard, son professeur avait choisi

de faire travailler à ses élèves des airs
d'opéra qui célébraient l'amour…

Pour rejoindre le cirque, Naïma dut
traverser la pelouse sous une averse glaciale.
Une voix derrière elle l'appela. Mickael
arrivait en courant. Naïma s'arrêta pour
l'attendre. Elle eut une soudaine inspiration.

— Tu joues au foot ? lui demanda-t-elle.

— Ben, je suis un garçon, répondit Mickael
comme s'il s'excusait.

— Tu connais Tonino ?

— Le Brésilien qui est en deuxième année ?
Ce n'est pas amusant de jouer avec lui.
Il garde toujours le ballon ! Pourquoi
tu t'intéresses à ce frimeur ?

— Je suis curieuse, c'est tout. On raconte
que… qu'il a beaucoup d'amoureuses.

— Me dis pas qu'il te plaît ! s'exclama
Mickael. Franchement, t'aimerais pas
être là quand il parle des filles. Il prétend

qu'elles sont toutes folles
de lui. C'est un vantard.
Naïma serra les poings et
l'assura que Tonino ne lui
plaisait pas. Si Mickael savait
que le cœur d'Idalina battait pour
le Brésilien, il serait bien malheureux.
Il avait un faible pour elle…
De son côté, Alexa discutait avec Louise
en préparant les chevaux pour le saut
d'obstacles. Les Kinra Girls appréciaient
beaucoup Louise, qui était simple
et sympathique.

– Ouais, fit Louise. Je vois qui c'est,
Tonino. Chaque fois qu'il croise Miss Daisy,
il lui sort un compliment
genre « Vous êtes encore
plus belle qu'hier » !
Tu le crois ça ?
Alexa fronça les sourcils.

Ce Tonino ne doutait de rien ! Il espérait vraiment que l'assistante du directeur était sensible à son charme ? Ce garçon s'imaginait sans doute que le soleil tournait autour de lui.

Kumiko, quant à elle, était en proie à une colère sourde qu'elle avait du mal à contrôler. Une de ses camarades de son cours de dessin, qui n'était pas dans la classe des Kinra Girls, lui avait appris que Tonino lui avait fait le coup du bracelet à vœux. Comme elle avait déjà un copain chez elle en Autriche, elle l'avait envoyé sur les roses. Plus tard, dans leur chambre, Kumiko laissa éclater sa fureur devant Rajani.

– Tonino n'est pas qu'un sale cafard ! Il est idiot ! Il pense que personne ne va s'apercevoir qu'il distribue des bracelets

à toutes les filles qu'il trouve jolies ?
Si je le rencontre dans le couloir,
celui-là, je vais lui faire regretter
d'avoir quitté son Brésil natal !
Rajani n'avait jamais vu Kumiko dans un
tel état de rage. C'était impressionnant !
La Signora Della Torre ayant la fâcheuse
habitude de garder ses élèves plus
longtemps que les autres professeurs, Alexa
et Naïma arrivèrent à la chambre 325 avant
Idalina. Les quatre amies échangèrent leurs
informations sur Tonino. Rien de bon...
Quand Idalina frappa à la porte, Naïma
et Kumiko se tournèrent instinctivement
vers Rajani. Celle-ci prit son courage
à deux mains et alla ouvrir. Idalina avait
un gigantesque sourire aux lèvres.

– Désolée, je suis très en retard ! Mais
je suis passée au bureau du directeur
après mon cours et déjà que je n'étais

pas en avance… J'ai eu ma maman au téléphone et vous savez quoi ? Comme cadeau d'anniversaire, elle m'envoie un billet d'avion. Je vais la rejoindre en Allemagne pour les vacances de Noël ! Je suis trop contente ! Ben, vous en faites des têtes d'enterrement. Qu'est-ce qu'il y a ?

— Faut qu'on te parle, répondit Alexa. Assieds-toi.

— Qu'est-ce que j'ai fait ? s'inquiéta Idalina.

Alexa lança un regard désespéré à Rajani. Finalement, ce n'était pas toujours si embêtant d'avoir une amie qui se prenait pour votre grande sœur… car on pouvait compter sur elle dans les moments difficiles.

— Ce n'est pas toi, dit Rajani. Voilà… Nous … nous avons découvert que Tonino n'était pas quelqu'un de bien.

Idalina écarquilla les yeux.

– Quoi ? Qu'est-ce que c'est que cette histoire ?

– Tu n'es pas la seule à qui il a offert un bracelet.

– Et alors ? répliqua sèchement Idalina. Il a le droit d'en offrir à qui il veut !

Rajani ne s'attendait pas à cette réaction. Elle n'avait plus d'autre choix que de dire toute la vérité.

– Tu ne comprends pas. Naïma a rencontré une fille qui pense que Tonino est son amoureux ! Et il a aussi dragué une élève du cours de dessin de Kumiko ! Tonino n'est pas un garçon sérieux. C'est un prétentieux et un menteur.

Idalina quitta la chaise où elle s'était assise et traversa la chambre.

– Vous n'êtes que des jalouses ! cria-t-elle en claquant la porte derrière elle.

Alexa fit la grimace. Kumiko poussa
un soupir de découragement. Naïma
était au bord des larmes.

– On la rattrape ? demanda Kumiko.

– Non, répondit Rajani en croisant les
bras. Il vaut mieux la laisser réfléchir
dans son coin.

– On n'est pas des jalouses... marmonna
Naïma.

– Elle le sait, affirma Rajani. Mais pour
le moment elle ne veut pas nous croire.
C'est difficile d'accepter qu'on ait pu
se tromper. Surtout quand votre cœur
vous dit le contraire.

– *Happy birthday*[12]... conclut
tristement Alexa.

---

12. Happy birthday *(en anglais) : bon anniversaire.*

Chapitre 9

Des anges dans la neige

Naïma patienta jusqu'à ce que retentisse la sonnerie. Rajani l'accompagna à sa chambre.

– Laisse-la parler en premier, conseilla-t-elle. Et si elle ne dit rien, respecte son silence.

Naïma acquiesça. Sa main trembla quand elle glissa la carte pour ouvrir la porte. Rajani l'encouragea d'une petite tape amicale dans le dos.

Idalina était couchée à plat ventre sur son lit, le visage enfoui dans son oreiller. Naïma prit son pyjama et s'échappa dans la salle de bains. Jamais de sa vie elle ne s'était lavé les dents aussi longtemps. À force de frotter, elle allait faire saigner ses gencives ! Malheureusement, elle ne pouvait pas se cacher éternellement.

Naïma sursauta en découvrant Idalina assise au bord du lit. Ses yeux étaient rouges, mais elle ne pleurait pas.

— Tu as une paire de ciseaux ?

demanda Idalina.

La question était tellement étonnante que Naïma resta sans voix. Alors elle se dirigea vers son bureau, sortit les ciseaux de sa trousse et les donna à son amie.

— Merci, dit Idalina.

Et sans la moindre hésitation, elle coupa le bracelet brésilien.

Naïma regarda le ruban
bleu par terre.

> – Tu veux que
> je le mette à
> la poubelle ?
> – Non, répondit
> Idalina en ramassant
> le bracelet. Je vais le
> rendre à son propriétaire.
> – T'es sûre ?
> – Ça oui ! Aujourd'hui, j'ai 11 ans.
> Je suis grande.

Idalina posa le ruban sur la table de chevet.
Elle s'allongea, face au mur.

> – Les garçons, c'est nul... murmura-t-elle.

Et le léger soupir qui suivit ressemblait
beaucoup à un sanglot.
Le matin révéla un paysage entièrement
blanc. Il avait abondamment neigé pendant
la nuit et il neigeait encore. Le spectacle

plongea les élèves dans le ravissement.
Alexa, particulièrement, était folle de joie
en se réveillant. Joie de courte durée car,
en retrouvant Kumiko et Rajani devant
le réfectoire, elle se rappela ce qui s'était
passé la veille. Mais où étaient les deux
dernières Kinra Girls ?

– Elles ne sont pas arrivées, constata
Rajani. Je vais les chercher ?

– Pas la peine, les voilà, remarqua
Kumiko.

Idalina se tenait raide et marchait d'un pas
déterminé. Rajani regarda Naïma d'un air
interrogateur. Celle-ci lui adressa un signe
de la tête qui signifiait « ça va ». Idalina
traversa le réfectoire jusqu'à la table
où Tonino prenait son petit déjeuner. Elle
sortit le ruban bleu de sa poche et le laissa
tomber dans le bol de chocolat chaud.
Tonino poussa une exclamation de surprise.

– Oups, désolée ! fit Idalina. Oh, ce n'est pas grave, si tu le laves, tu pourras l'offrir à une autre.

Tonino, d'habitude si bavard, ne sut pas
quoi répondre.

> – Ah mais, j'y pense ! continua Idalina.
> Tu en as sûrement un tiroir plein,
> de tes bracelets à vœux ! Au moins
> autant qu'il y a de filles dans l'école.
> Ah, d'ailleurs, je vois que ta voisine
> en porte un.

Et la voisine en question devint rouge
de colère.

> – Qu'est-ce que ça veut dire ?
> s'écria-t-elle. Pourquoi elle a
> un bracelet comme le mien ?

Tonino haussa les épaules, leva les yeux
au ciel, ouvrit la bouche pour faire
« ben… » et n'eut pas l'occasion d'ajouter
quoi que ce soit. En revanche, il faillit tomber
à la renverse quand le bol de chocolat
atterrit sur ses genoux.

> – Tiens ! lança la fille en se levant.

C'est tout ce que tu mérites !

Horriblement vexé (et le pantalon trempé...),
Tonino s'empressa de quitter le réfectoire.
Des rires fusèrent sur son passage. Certains
garçons semblaient même assez contents...
Fièrement, Idalina pivota sur ses talons et
rejoignit ses amies. Alexa avait un sourire
jusqu'aux oreilles. Alors qu'elle allait prendre
la parole, Rajani lui donna un coup de coude.
Ce n'était pas le moment que l'Australienne
sorte une de ces plaisanteries dont elle avait
le secret ! Naïma s'inquiéta de voir le visage
soudain chagriné d'Idalina.

– Je suis vraiment trop bête...
murmura Idalina.

– Bien sûr que non, dit Rajani.
Et le perdant, c'est Tonino. Parce qu'il
t'a perdue, toi. Il ne saura jamais à quel
point tu es extraordinaire.

– Là, maintenant, je me sens très

ordinaire, répondit tristement Idalina.

– Il fallait du cran pour faire ce que
tu as fais, admira Kumiko.

– Oh et puis il n'y a pas qu'un seul
poisson dans la mare ! dit Alexa
en beurrant sa tartine.

Rajani se tourna vers elle et la fusilla
du regard.

– Je ne serai plus jamais amoureuse,
déclara Idalina.

– Tu parles ! rigola Alexa. Je parie que ça
t'arrivera encore avant la fin de l'année !

– T'as toujours pas appris à te taire ?
se fâcha Naïma.

– Bah, ça vous manquerait si je n'étais
pas là pour me moquer, rétorqua Alexa.
Parfois on est heureux et parfois on est
malheureux. C'est la vie, il faut l'accepter !
Moi, je veux profiter des belles choses
et oublier les autres !

– Tout le monde ne peut pas réagir comme toi, remarqua Rajani.

– Tant mieux, répondit malicieusement Alexa. Ce ne serait pas drôle si on était tous pareils !

Et, curieusement, sa réflexion rendit le sourire à Idalina.

***

Vers le milieu de l'après-midi, la neige cessa de tomber. Le soleil déchira les nuages et illumina le manteau blanc qui recouvrait le paysage. Pas question pour les Kinra Girls de rester enfermées dans leurs chambres après les cours. Quand elles sortirent de l'école, beaucoup d'autres élèves s'amusaient déjà à se bombarder de boules de neige.

– Ça me rappelle quand j'étais dans l'Himalaya avec ma grand-mère... commença Rajani.

– On fait une bataille ? proposa Kumiko.

Rajani mit les poings sur ses hanches.

– Ah zut ! Est-ce que je vais réussir
à la raconter un jour, mon histoire ?

– Quelle histoire ? demanda Naïma.

– Quand j'étais dans l'Himalaya avec
Karisma ! Ma grand-mère m'a emmenée
avec elle au Népal pour rencontrer les
moines bouddhistes, qu'on appelle les
lamas. Elle voulait me montrer d'autres
façons de soigner les gens malades.
Pour une fois, maman était d'accord
avec Karisma. Je sais pourquoi : maman
espérait que je deviendrais médecin
comme elle ou comme ma grand-mère.

Rajani expliqua que les lamas suivaient
l'enseignement de Bouddha. Bouddha
n'était pas un dieu. C'était un prince qui avait
abandonné ses richesses pour atteindre la
paix intérieure. Au Népal, les lamas croient

à l'existence de dieux comme Guru Drakpo.
Guru Drakpo a toujours l'air en colère,
mais c'est pour faire peur aux démons. Les
moines bouddhistes vivent dans la pauvreté,
ils passent beaucoup de temps à méditer et
à prier. Ils pensent que c'est normal d'aimer
tout le monde.

   – Ils sont très généreux et très gentils,
dit Rajani. Mais leurs médicaments, ils
sont plutôt bizarres ! Ils mélangent des
plantes et des minéraux avec du sang de
yack et des choses assez dégoûtantes...
   – Je devrais essayer le sang de yack,
remarqua Idalina. Peut-être que ça guérit
les chagrins d'amour.
   – Moi, je connais un remède new-yorkais
contre la tristesse ! s'exclama Naïma.
   Faire des anges dans la neige !
Elle se laissa tomber en arrière. Bras et jambes
tendus, elle traça de grands demi-cercles

dans l'épaisse couche de neige.

— Des anges ! s'écria Kumiko. J'adore !
L'une après l'autre, elles imitèrent Naïma.
Le froid leur importait peu, c'était tellement
drôle ! Alexa fut prise de fou rire. Bientôt,
elles riaient de concert. Naïma tourna
la tête vers Idalina et, retrouvant un
semblant de sérieux, elle lui demanda :

— C'était quoi, tes trois vœux ?
Ceux que tu as faits à chaque nœud
du bracelet brésilien.
Idalina arrêta de s'agiter.

— Mes vœux... Le premier, c'était de
revoir mon père. Le deuxième, d'aller
au carnaval de Rio avec Tonino.
Elle s'interrompit. Même Alexa respecta
son silence.

— Et le troisième, dit finalement Idalina,
c'était qu'on reste amies toute la vie.
Mais je n'ai jamais eu besoin d'un stupide

bracelet à vœux pour que ça devienne vrai, n'est-ce pas ? Kinra Girls *forever*[13] !

– Kinra Girls *forever* ! répondirent quatre voix à l'unisson.

Longtemps après leur départ, l'empreinte de leurs corps resta dans la neige. Puis, à l'aube naissante, les « anges » s'effacèrent doucement, balayés par une averse de pluie mêlée de glace.

13. Forever *(en anglais) : toujours, pour toujours.*

VOCABULAIRE

A Garota de Ipanema
(en portugais du Brésil) :
la fille d'Ipanema.

Amazake (en japonais) :
boisson à base de riz fermenté,
sucrée et généralement sans alcool.

Até mais (en portugais du Brésil) :
au revoir.
Se prononce : *atè maïsse*.

Bora :
cérémonie sacrée chez les Aborigènes.
Signifie « réunion secrète »
pour les Kinra Girls.

Cariocas (en portugais du Brésil) :
nom que portent les habitants
de Rio de Janeiro, au Brésil.

Fitinha (en portugais du Brésil) :
petit ruban porte-bonheur au Brésil.

Forever (en anglais) :
toujours, pour toujours.

Happy birthday (en anglais) :
bon anniversaire.

Kamakura (en japonais) :
sorte d'igloo japonais. À la différence
des igloos, il ne sert pas d'habitation,
mais à honorer les divinités de l'eau.

Mochi (en japonais) :
gâteaux de riz.

Oi, tudo bem ? (en portugais du Brésil) :
Salut, ça va ?

Senhor do Bonfim (en portugais du Brésil) :
Seigneur des belles fins.

LES BRACELETS PORTE-BONHEUR BRÉSILIENS

On ne peut pas aller au Brésil sans y voir des *fitinhas*, ces petits bracelets de toutes les couleurs sur lesquels il est écrit « Lembrança do Senhor do Bonfim da Bahia », ce qui signifie « Souvenir du dieu des belles fins de Bahia ».

Ces porte-bonheur sont très célèbres dans le nord-est du Brésil, et particulièrement dans l'État de Bahia, à Salvador, d'où vient Tonino. À l'origine, c'était un souvenir que les Brésiliens rapportaient de l'église Nosso Senhor do Bonfim lorsqu'ils y déposaient une photo ou une statuette de la partie du corps qu'ils voulaient voir guérir par miracle.

POUR EN SAVOIR PLUS...

Aujourd'hui les *fitinhas* sont en coton ou en Nylon, mesurent 40 cm de long et sont devenus un accessoire de mode incontournable de la culture brésilienne. On en trouve sous forme de bracelet, de porte-clés ou juste de décoration, mais ils restent un symbole protecteur. Comme Idalina, il faut faire trois nœuds pour l'attacher à son poignet ou à sa cheville. Lorsque le bracelet se rompt, les trois vœux se réalisent.

© Giuglio Gil / Hémis

Chaque couleur a une signification : le bleu correspond à l'amour, l'orange au bonheur, le rose à l'amitié, le rouge à la passion, le blanc à la sagesse, le vert à la santé, le violet à la spiritualité...

© Fabio Santos/IStock

Le premier dimanche de l'année, les habitants de Salvador viennent attacher un bracelet sur les grilles de la célèbre église Nosso Senhor do Bonfim.

LE CODE MULLEE MULLEE

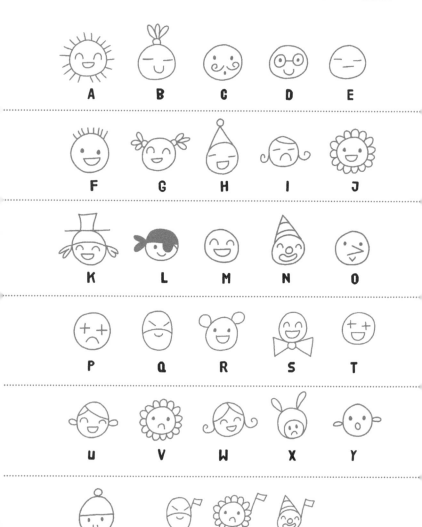

La présence d'un accessoire (drapeau, étoile, fleur...) indique le début d'un mot.

PLAN DU DOMAINE

Les écuries

Le kiosque et le labyrinthe

Le cirque

L'Académie Bergström

Le moulin abandonné

L'ACADÉMIE BERGSTRÖM

Les Kinra Girls sont **5 filles** venues des **4 coins du monde**.

Kumiko, la Japonaise, **Idalina,** l'Espagnole,
Naïma, l'Afro-Américaine, **Rajani,** l'Indienne,
et **Alexa,** l'Australienne, se rencontrent
à l'Académie Bergström, un collège international
qui accueille des élèves talentueux du monde entier.

Ces 5 filles aux cultures si différentes vont vivre ensemble des moments exceptionnels.

Au fil de leurs multiples aventures, elles vont s'ouvrir au monde, découvrir les **cultures** des autres pays, apprendre à respecter leurs **différences** et devenir inséparables.

Retrouve tout l'univers
des Kinra Girls sur

WWW.COROLLE.COM

Imagine la suite de l'histoire avec ton Idalina !

Poupée de 42 cm, au corps souple et articulé, qui permet à Idalina de prendre toutes les attitudes.

kinra girls
DÉCOUVRE LE MONDE À TA FAÇON

À toi de jouer avec Kumiko, Idalina, Naïma, Rajani et Alexa.

LES GRANDES SŒURS
DES POUPÉES COROLLE

Retrouve-les sur **www.corolle.com**

Les notes adhésives d'Idalina te sont offertes pour tout achat d'un coffret poupée Kinra Girls sur le site **www.corolle.com** avec le code « TONINO ».

Offre valable à partir du 30 janvier 2013 et jusqu'à épuisement des stocks.

DÉCOUVRE LES CINQ HÉROÏNES AVANT LEUR RENCONTRE

k umiko

i dalina

n aïma

r ajani

a lexa

LE SECRET DE KUMIKO

IDALINA CHANTEUSE DE FLAMENCO

NAÏMA ET LE CIRQUE DE NEW YORK

RAJANI VEUT DANSER

LE CODE SECRET D'ALEXA

Découvre l'histoire de chacune de nos amies avant leur rencontre
dans l'Académie internationale Bergström, un collège
qui accueille des élèves talentueux du monde entier.

TOMES À PARAÎTRE (TITRES PROVISOIRES) :

8 *Le Royaume des ombres* (avril 2013)

9 *Sur la piste du trésor* (juin 2013)

Visuels non contractuels

PUIS SUIS LES AVENTURES DES KINRA GIRLS !

TOME **1**

Kumiko, Idalina, Naïma, Rajani et Alexa font leur entrée à l'Académie internationale Bergström.

TOME **2**

Une étrange histoire de trésor et de chat fantôme court à l'Académie Bergström.

TOME **3**

À la recherche du trésor de l'Académie, les Kinra Girls tombent sur un passage secret marqué d'une empreinte de lion.

TOME **4**

Les Kinra Girls découvrent un cimetière abandonné avec une étrange tombe.

TOME **5**

Nos cinq amies partent au Japon en voyage scolaire. Mais, très vite, les catastrophes s'enchaînent...

TOME **6**

Les Kinra Girls sont à la recherche de la clé d'or qui ouvre toutes les portes.

ISBN : 9782809648669.
Dépôt légal : janvier 2013.
Imprimé en Chine.

Mise en page : Isabelle Southgate.
Mise au point de la maquette : Cédric Gatillon.
Roc Prépresse pour la photogravure.

Nous tenons à remercier pour leur contribution à cet ouvrage :
M. Bellamy-Brown ; C. Bleuze ; J.-L. Broust ; S. Champion ; N. Chapalain ;
M. Courvoisier ; A.-S. Congar ; M. Dezalys ; E. Duval ; M.-S. Ferquel ;
D. Hervé ; M. Joron ; A. Le Bigot ; B. Legendre ; J. Magalhaes ; L. Maj ;
K. Marigliano ; C. Onnen ; L. Pasquini ; C. Petot ; C. Schram ; M. Seger ;
V. Sem ; S. Tuovic ; K. Van Wormhoudt ; M.-F. Wolfsperger.